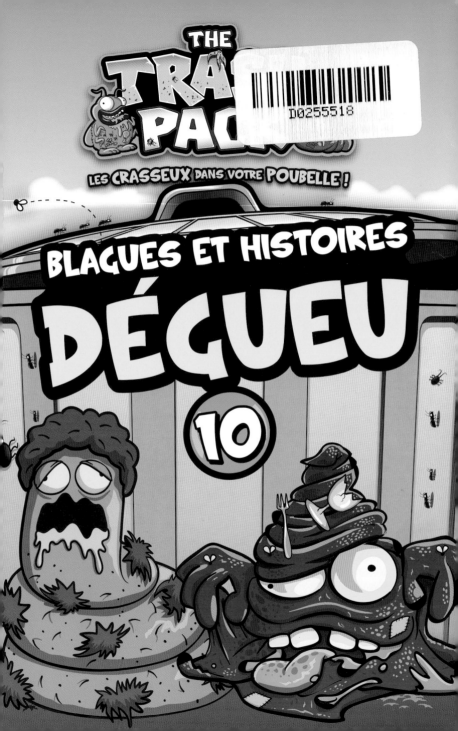

© 2016 Les Publications Modus Vivendi inc.
© 2011 Moose Enterprise Pty Ltd.
Tous droits réservés.

Les logos, noms et personnages de
The Trash Pack™ sont des marques déposées
de Moose Enterprise Pty Ltd.

Presses Aventure, une division de
Les Publications Modus Vivendi inc.
55, rue Jean-Talon Ouest
Montréal (Québec) H2R 2W8
CANADA
www.groupemodus.com

Rédaction : Michel Bouchard
Design graphique : Émilie Houle
Correction : Catherine LeBlanc-Fredette

ISBN 978-2-89751-215-6

Dépôt légal — Bibliothèque et Archives nationales du Québec, 2016
Dépôt légal — Bibliothèque et Archives Canada, 2016

Nous reconnaissons l'aide financière du gouvernement
du Canada par l'entremise du Fonds du livre
du Canada pour nos activités d'édition.

Gouvernement du Québec — Programme de crédit d'impôt
pour l'édition de livres — Gestion SODEC

Imprimé en Chine

THE TRASH PACK

LES **CRASSEUX** DANS VOTRE **POUBELLE** !

Des histoires à baver de rire, des devinettes dégoûtantes et des histoires malodorantes avec tes amis les Trashies de la série 7.

LES CRASSEUX SONT TOUJOURS DANS TA POUBELLE!

Pourquoi Poubelle Juteuse attend-elle à la crèmerie?

Pour manger un cornet de crème dégueulassée.

Qu'a dit le patron qui a congédié Vomicus?

Tu es renvoyé!

4

Que raconte
Capitaine Contagieux?
Il ra-contamine !

Si Germ'Astique ne respecte
pas une entente signée,
est-ce un débris de contrat?

VERS DE GERMES

HORRIB'VER
DU CŒUR

VER SOLITAIRE

VER SONNÉ

VER CHEVELU

VER POISSONNEUX

VICE-VER
DE TERRE

VER CIRÉ D'OREILLE

VER D'HAMEÇON

Si c'est mou,
que c'est contagieux et
que ça vous rend malade
juste à le sentir, vous êtes
assurément en présence
d'un Trashie de la famille
des Vers De Germes.
Ces lombrics putrides sont
sournois et peuvent se cacher
durant des années sans être vus.

Quelle est la chasse préférée de Bibitte De Toilette ?

La chasse d'eau.

Que fait Mouch'À Ch'Val assis sur une toilette ?

Il fait une trotte !

Quel insecte a piqué Sèch'Motton ?

Une mouche-oir.

Comment appellerait-on Pou D'Lézard s'il faisait du karaté?

Pou D'Lézard martiaux!

Lors des réceptions données par la famille des Vers De Germes, tout le monde a droit à un verre de jus. Mais les plus chanceux ont droit à du jus de ver!

Que dit Ver Ciré D'Oreille quand on lui demande s'il a bien entendu ?

Ouïe !

Quel Trashie est le plus étourdi ?

Ver Sonné !

11

S'il y a de la poussière,
que c'est humide et
épouvantablement en désordre,
il y a de fortes chances que
vous soyez tout près
des Microbes Domestiques.
Ces dégueulasseries se retrouvent
habituellement dans les maisons
les plus sales de la ville
Trash Pack.

Répète trois fois
à haute voix :

Puce-Qui-Pique
en panique pousse
Pied-Qui-Pu
en plastique.

Qu'est-ce que ça prend
pour botter Virus
Fou'D'Balle ?

Un pied d'athlète !

Pourquoi les Trashies n'aiment-ils pas la lumière ?

Parce qu'ils ont peur de ne plus être l'ombre d'eux-mêmes !

Comment Verrues D'Exercices compte-t-il à rebours ?

Verrues D'Exersix, Verrues D'Exercinq, Verrues D'Exerquatre…

MICROBES DU SPORT

BACTÉRI-MA-BOULE

PIED-QUI-PU

GRATOUILL'D'COURSE

GERM'ASTIQUE

SAL'EAU

GRIP-EN-FORME

HALTÈR'CROTTE

CASIER-CRASSE

Si c'est couvert de sueur, que ça empeste la transpiration et les effluves de gymnase, vous avez contracté un Microbe Du Sport. Ces puants poids lourds pullulent dans les environs des gymnases et infestent les vestiaires.

Quelle est la couleur préférée de Mor'Vicieuse?

Le maurve.

Pourquoi Ver Bolé est-il plus intelligent que les autres Trashies?

Parce qu'il n'a pas le cerveau lent.

Pourquoi Dégoul'Œil veut-il devenir astronaute ?

Pour être en orbite !

À l'époque médiévale, quelle était l'arme de prédilection des Trashies ?

La cacapulte !

Répète trois fois sans sourciller :

Sal'Eau a sali sa lessive en lançant le lilas salé sur son lasso au sol.

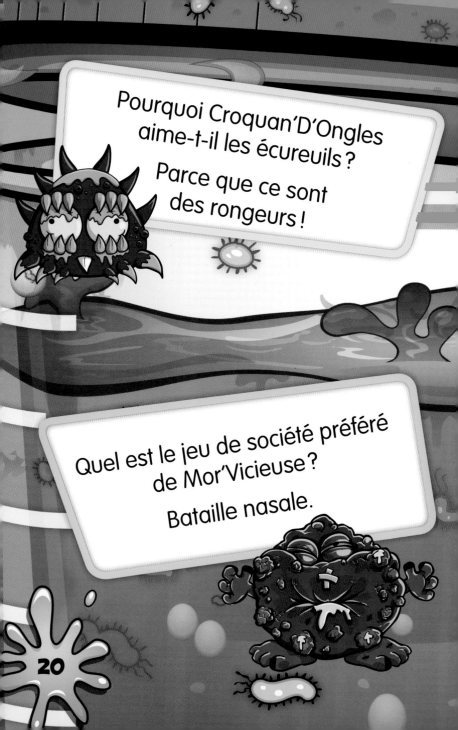

Pourquoi Croquan'D'Ongles aime-t-il les écureuils?

Parce que ce sont des rongeurs!

Quel est le jeu de société préféré de Mor'Vicieuse?

Bataille nasale.

20

Pourquoi les Trashies n'aiment-ils pas les spaghettis aux crottes de nez et au jus de poubelle?

Parce qu'ils n'aiment pas les pâtes.

Comment est la peau de Dégoul'Œil?

Elle est peau-pierre! (paupière)

GERMES D'ANIMAUX

CHAMPI-POISSON

CROQUAN'D'ONGLES

PUCE-QUI-PIQUE

GRIP'CHAT

TEIGNE-DU-PET

CRACH'D'OISEAU

Si votre animal de compagnie se gratte et a des éruptions cutanées disgracieuses, c'est qu'il est infesté de Germes D'Animaux. Ces parasites d'animaux putrides adorent plus que tout se cacher dans le poil et les cheveux.

Toc toc toc !
Qui est là ?
Germe !
Germe qui ?
Germi les poubelles au chemin !
(J'ai remis les poubelles au chemin)

Quel est le cri
de Mouch'À Ch'Val ?
Le crinière !

Que mange un Trashie
avec un hot chicken ?
Des petits pouah !

Quel est le comble
pour Pied-Qui-Pu ?

Avoir des bas collants !

25

Que dit Capitaine Contagieux
à propos des vaccins?

Germe pas ça du tout!

Que mange-t-on
à la cabane à sucre
des Trashies?

De la Crach'Tire
d'érable!

27

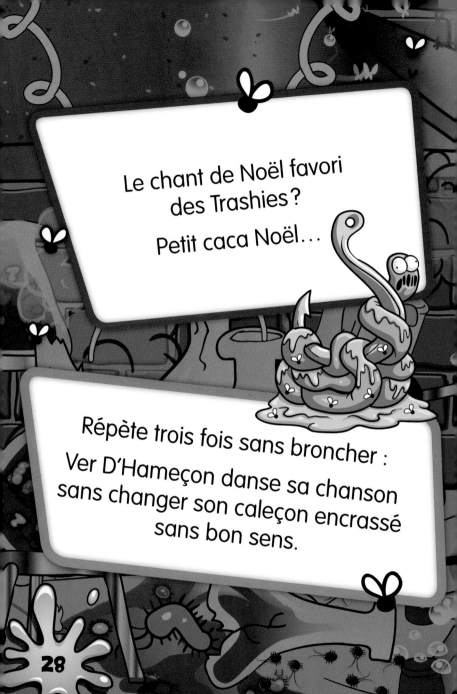

Le chant de Noël favori
des Trashies?

Petit caca Noël…

Répète trois fois sans broncher :
Ver D'Hameçon danse sa chanson
sans changer son caleçon encrassé
sans bon sens.

La grande question : comment fait-on pour jeter une poubelle ?

Quel est le mois favori des Trashies ?

Le Moisi D'Frigo.

29

VIRUS VICIEUX

DIARR-IDICULE

MUCU'SOT

DÉGOUL'ŒIL

RHUME GRIPPÉ

BUZZ'ESTOMAC

MOR'VICIEUSE

30

Si vous avez la goutte au nez,
que vous pleurez des yeux et
que vos oreilles sont complètement
bloquées, alors il y a de fortes
chances que vous soyez infecté
d'un Virus Vicieux. Ces mécréants
élisent demeure sur votre corps
et quittent généralement
en laissant leurs traces.

Pourquoi les Trashies aiment-ils se cacher dans le fond d'une poubelle sans nom?

Parce qu'ils restent sous le couvert de l'anonymat.

Pourquoi les Trashies aiment l'or?

Parce que l'or dure!

RAYONS X

GERM'HAMSTER

FIÈVR'FRISSON

VIRUS FOU'D'BALLE

VER'D'ŒIL

MIGRAINEUX

PANSE'MOCHE

Si ça bourdonne,
que ça scintille et
que vous pouvez voir
à travers, c'est que vous avez
aperçu un Trashie de la famille
des Rayons X.
Ces créatures squelettiques
sont faciles à repérer, elles
qui sont généralement
couvertes de saleté.

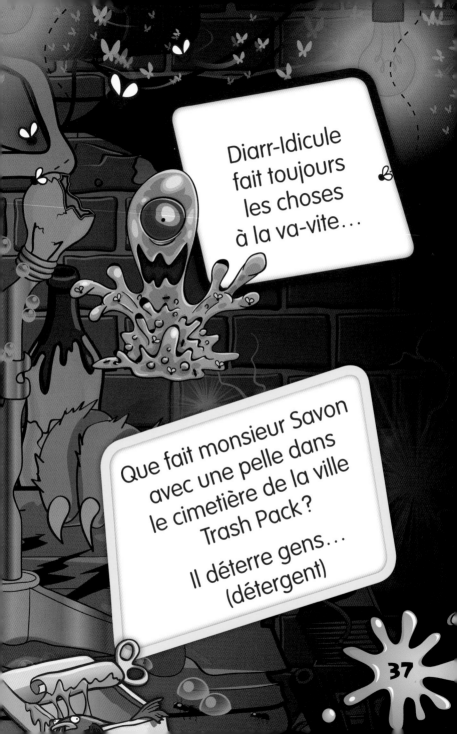

Diarr-Idicule fait toujours les choses à la va-vite…

Que fait monsieur Savon avec une pelle dans le cimetière de la ville Trash Pack?

Il déterre gens… (détergent)

37

Que fait Ver Chevelu à la fin d'un marathon ?

Il se fait coiffer au fil d'arrivée !

Que dit le Trashie qui se fait des bobos ?

Souille !

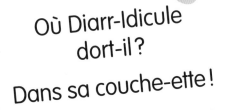

Où Diarr-Idicule dort-il?

Dans sa couche-ette!

Quel est le signe astrologique de Vice-Ver De Terre?

Ver sot. (verseau)

Quel est le terme préféré de Fièvr'Frisson?

Le terme-ô-mètre!

40

Toc toc toc !
Qui est là ?
Allaire…
Allaire qui ?
Allergie à la poussière !

Pourquoi
Grip-En-Forme boit-il
en soulevant des poids ?

Parce que ça
dés-haltère !

Que lit-on sur
l'écriteau menant à
la piscine de la ville
Trash Pack ?

Pipiscine.

RHUME ET GRIPPE QUI CHANGENT DE COULEURS

POU D'LÉZARD

MOUCH'À CH'VAL

GORG'ARRRKK!

VERRUES D'EXERCICE

VER BOLÉ

MOISI D'FRIGO

42

Si vous reniflez, que vous éternuez et que vous vous sentez de plus en plus mal en point, vous avez sans doute attrapé un virus d'un Trashie de la famille des Rhume et Grippe, qui changent de couleurs ! Si votre visage passe du vert au rouge, il est temps d'aller tout droit au lit.

Toc toc toc !
Qui est là ?
Verseau…
Verseau qui ?
Ver Solitaire.

Quel est le comble
pour Casier-Crasse ?
Prendre la porte !

Comment se sent le Trashie
qu'on a mis deux fois
à la poubelle ?

Il se sent re-jeté !

SUPER MORVEUX

CAPITAINE CONTAGIEUX VOMICUS MICROB'AC

CRACH'TIRE CHAMPI-VOLANT

Si c'est extrêmement dégueulasse et plus dégoûtant que tout, c'est probablement à cause d'un des Super Morveux... quintette putride formé de Capitaine Contagieux, Vomicus, Microb'Ac, Crach'Tire et Champi-Volant. Ces Trashies ultra rares sont totalement couverts de crasse en tout temps, ce qui les rend difficiles à identifier.